BOOK SOLD
NO LONGER R H P L
PROPERTY

Heather C. Hudak
rédactrice

Weigl

Published by Weigl Educational Publishers Limited
6325 10e rue SE
Calgary, Alberta
T2H 2Z9

www.weigl.com

Catalogage avant publication de Bibliothèque et Archives Canada

Hudak, Heather C., 1975-
Lieux consacrés à la religion / Heather C. Hudak.

(La célébration des cultures du Canada)
Traduction de: Places of worship.
Comprend un index.
Public cible: Pour les jeunes.
ISBN 978-1-55388-597-9

1. Canada--Religion--Ouvrages pour la jeunesse.
I. Titre. II. Collection : Hudak, Heather C., 1975- . La célébration des cultures du Canada.

BL2530.C3H8314 2009 j200.971 C2009-904483-8

Imprimé aux États-Unis d'Amérique
1 2 3 4 5 6 7 8 9 0 13 12 11 10 09

Rédactrice : Heather C. Hudak
Design : Terry Paulhus

Tous les efforts raisonnablement possibles ont été mis en oeuvre pour déterminer la propriété du matériel protégé par copyright et obtenir l'autorisation de le reproduire. N'hésitez pas à faire part à l'équipe de rédaction de toute erreur ou omission, ce qui leur permettra de faire les corrections appropriées dans les éditions futures.

Weigl reconnaît que Getty images est l'un de ses fournisseurs d'images pour ce titre.

Alamy : pages 9 en haut à gauche, 9 en bas à gauche, 9 en bas à droite ; 11 en bas à gauche, 13 en haut à gauche, 13 en bas à gauche, 10, 12, 22 ; Decker Colony : pages 15 en haut à gauche, 15 en bas à gauche, 15 en haut à droite

Tous les liens URL mentionnés dans ce livre étaient valides au moment de la publication. Toutefois, en raison de la nature dynamique d'Internet, certaines adresses peuvent avoir changé et certains sites peuvent avoir été fermés. Bien que l'auteur et la rédactrice déplorent les inconvénients que ceci peut occasionner aux lecteurs, ils ne peuvent être tenus responsables de ces changements.

Nous apprécions le soutien financier du gouvernement du Canada à travers le Programme d'aide au développement de l'industrie de l'édition (PADIÉ) pour nos activités d'édition.

TABLE DES MATIÈRES

L'Église ukrainienne

Les Ukrainiens se rassemblent à l'église lors d'événements spéciaux et des jours saints. L'église illustrée ici est à Kiev, en Ukraine. La première église ukrainienne catholique a ouvert ses portes à Star, en Alberta, en 1898. On retrouve des images religieuses dans la plupart des églises ukrainiennes. Ces dernières sont généralement surmontées de dômes.

Regardez les images des dômes sur cette page. Quels autres édifices possèdent un dôme ?

Des fenêtres arquées

Des croix

Des dômes

APPRENEZ-EN PLUS

Pour en apprendre plus sur l'histoire d l'Église catholique ukrainienne, visitez http://uocc.ca/en-ca/about/history.

Le temple bouddhiste

Beaucoup de Chinois observent les enseignements de Bouddha. Ils pratiquent leur religion dans un temple. Le temple illustré ici est en Thaïlande. On retrouve une image ou une statue de Bouddha à l'intérieur du temple. Plusieurs bouddhistes possèdent un sanctuaire à la maison. On peut y retrouver une statue de Bouddha, des chandelles et de l'encens.

Dans les temples bouddhistes on retrouve une statue de Bouddha. Quels autres types de statues retrouve-t-on à l'intérieur des autres lieux consacrés à la religion ?

Une cloche

Une statue de Bouddha

De l'encens

APPRENEZ-EN PLUS

Pour en apprendre plus sur les croyances et les valeurs des Bouddhistes, visitez www.bbc.co.uk/religion/religions/buddhism.

Le gurdwara sikh

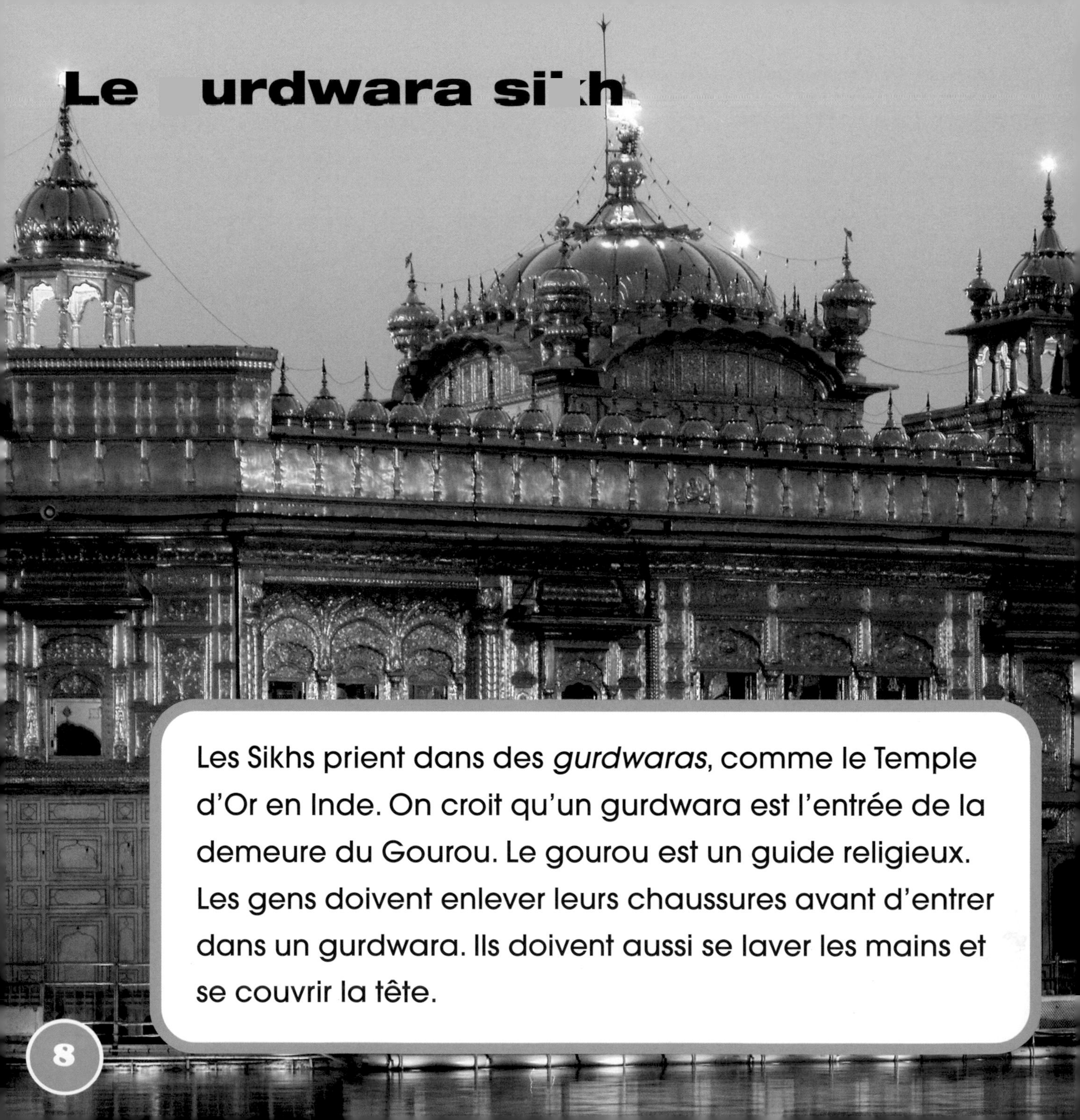

Les Sikhs prient dans des *gurdwaras*, comme le Temple d’Or en Inde. On croit qu’un gurdwara est l’entrée de la demeure du Gourou. Le gourou est un guide religieux. Les gens doivent enlever leurs chaussures avant d’entrer dans un gurdwara. Ils doivent aussi se laver les mains et se couvrir la tête.

Les Sikhs ont un symbole spécial appelé Khanda. Quels symboles retrouve-t-on dans d'autres religions ?

Takht

Darbar Sahib

Guru Granth Sahib

APPRENEZ-EN PLUS

Pour en apprendre plus sur les enseignements des gourous, visitez http://fateh.sikhnet.com/s/SikhIntro.

La hutte à sudation micmac

Les Micmacs croient que tout ce qui existe dans le monde est vivant. Cela inclut les humains, les animaux, les roches et la terre. Ils croient que le Créateur a tout créé. Les Micmacs croient aussi que le créateur est bon et gentil. Ils ne prennent aucune décision sans s'en remettre à Dieu.

Les tambours ont un rôle important dans plusieurs cérémonies des Micmacs. Quels instruments sont importants pour d'autres croyances religieuses ?

Un tambour

Une plume

Une fosse à roches

APPRENEZ-EN PLUS

Pour en apprendre plus sur les croyances et la médecine des Micmac, visitez http://mikmawey.uccb.ns.ca/culture.html.

La synagogue juive

La religion juive est centrée sur la famille, la communauté, le foyer et la synagogue. La synagogue illustrée ici est en Allemagne. Le jour du sabbat est considéré comme un jour saint pour les Juifs. Le sabbat commence au coucher du soleil le vendredi soir. Il se termine après le coucher du soleil le samedi soir suivant.

Les chandelles sur une *menorah* sont allumées durant la fête Hanoukka. Quelles autres religions utilisent des chandelles pour la prière ?

Menorah

Torah

Aseret Hadiberot

APPRENEZ-EN PLUS
Pour en apprendre plus sur les croyances et les valeurs juives, visitez www.bbc.co.uk/religion/religions/judaism.

La colonie huttérite

Les Huttérites vivent en colonies. Ils travaillent ensemble en équipe ou en grande famille. La foi des Huttérites est basée sur l'idée que l'on subvient aux besoins des membres du groupe de façon égale. Personne ne possède plus de biens qu'un autre dans la colonie. Les Huttérites vont à l'église à tous les jours.

Les Huttérites prient tous les jours dans les endroits illustrés ci-dessous. Combien de fois par jour les gens de d'autres religions prient-ils ?

Une maison

Une colonie

Des classes

APPRENEZ-EN PLUS

Pour en apprendre plus sur l'histoire de la foi des Huttérites, visitez visit www.hutterites.org/religion.htm.

La mosquée musulmane

Les musulmans prient dans des mosquées. Le Dôme du Rocher, à Jérusalem, est l'un des plus vieux édifices musulmans sur terre. Il y a près de 600 000 musulmans au Canada. La première mosquée canadienne a été construite en 1938. Aujourd'hui, elle fait partie du parc Fort Edmonton.

Les musulmans lisent le Coran lorsqu'ils prient. Quels autres livres religieux les gens lisent-ils quand ils prient ?

La Mecque

Un chapelet

La lecture du Coran

APPRENEZ-EN PLUS
Pour en apprendre plus sur les origines de l'Islam, visitez www.bbc.co.uk/religion/religions/islam.

Le temple hindou

Plusieurs Canadiens provenant de l'Inde et de Sri Lanka sont des Hindous. Ils prient dans des temples tout comme celui-ci, à Singapour. Le plus gros temple hindou au Canada est le *BAPS Shri Swaminarayan Mandir*. Il se trouve à Toronto, en Ontario.

Les Hindous préparent des endroits spéciaux pour prier, qu'on appelle des sanctuaires. À quel endroit, autre qu'un sanctuaire, les gens vont-ils pour prier ?

Des Dieux hindous

Un moulin à prières

Des sanctuaires

APPRENEZ-EN PLUS

Pour apprendre plus sur l'histoire et la communauté *BAPS Shri Swaminarayan Mandir*, visitez http://toronto.baps.org/introduction.php.

L'Église anglicane

Plusieurs gens de Grande-Bretagne sont anglicans. La Cathédrale Saint-Paul, à Londres, est une église anglicane. Il y a plus de 800 000 anglicans au Canada. Ils prient dans une église chrétienne. Les anglicans observent la Parole de la Bible.

La Bible est un livre religieux. Quels autres livres utilise-t-on dans d'autres religions ?

Un clocher

La Sainte Bible

Un vitrail

APPRENEZ-EN PLUS

Pour en apprendre plus long sur les idéaux et les croyances de l'Église anglicane du Canada, visitez www.anglican.ca/about.

L'Église Unie du Canada

Plusieurs Canadiens font partie de l'Église Unie. Elle combine les croyances de quatre religions protestantes. L'Église Unie observe la Parole de la Bible. Tous peuvent devenir membre de cette Église. L'église illustrée ici se trouve à l'Île-du-Prince-Édouard.

À Noël, on retrouve des scènes de la Nativité dans les églises unies. Quels autres objets symbolisent cette fête ?

L'intérieur d'une église

Un crucifix

Une scène de la Nativité

APPRENEZ-EN PLUS

Pour en apprendre plus sur les croyances et la communauté de l'Église Unie, visitez www.united-church.ca/about.

Glossaire

arquée : partie courbée du rebord d'une fenêtre ou d'une porte

Aseret Hadiberot : Les Dix Commandements ; déclarations sur les lois de Dieu qu'il faut obéir

clocher : haute tour souvent pointue au sommet

Coran : texte religieux principal de l'Islam

crucifix : croix sur laquelle on voit Jésus crucifié

Darbar Sahib: salle principale dans un gurdwara sikh

déités: dieux et déesses

dômes : toits en forme de cercle

encens : substance qui dégage un parfum quand elle brûle

fosse à roches : trou contenant des roches brûlantes sur lesquelles on verse de l'eau pour créer de la vapeur

Guru Granth Sahib : Écriture Sainte qui a la plus grande autorité pour les Sikhs

menorah : chandelier à sept branches

moulin à prières : cylindre contenant des prières écrites qui tourne pendant qu'on prie

Nativité : scène de la naissance de Jésus

takht : siège du pouvoir

torah : collection d'Écritures Saintes

Index